LA CHINE

L'édition originale de cet ouvrage a paru sous le titre : *CHINA*
Copyright © Aladdin Books Ltd 1987
70 Old Compton Street, London W1
All rights reserved

Adaptation française de Lydwine Dumont
Illustrations de Rob Shone
Copyright © Éditions Gamma, Tournai, 1989
D/1989/0195/20
ISBN 2-7130-0976-6
(édition originaile : ISBN 0 86313 595 1)

Exclusivité au Canada :
Les Éditions École Active
2244, rue Rouen, Montréal H2K 1L5
Dépôts légaux, 1ᵉʳ trimestre 1989,
Bibliothèque nationale du Québec
Bibliothèque nationale du Canada
ISBN 2-89069-206-X

Imprimé en Belgique

SOMMAIRE

À TRAVERS L'HISTOIRE

LA CHINE

1400 av. J.-C. - 1911 ap. J.-C.

Beth McKillop - Lydwine Dumont

Éditions Gamma – Les Éditions École Active

Paris - Tournai - Montréal

INTRODUCTION

La Chine est le pays le plus vaste et le plus peuplé d'Asie. Son histoire écrite remonte à plus de 3 000 ans. Les Chinois d'aujourd'hui sont les fiers héritiers d'une civilisation qui a produit des œuvres artistiques et littéraires comptant parmi les plus belles du monde.

La société de la Chine ancienne se divisait en deux classes : les aristocrates et le peuple. Les empereurs exerçaient un pouvoir absolu sur leurs sujets. Les paysans et les citadins versaient des impôts en nature pour subvenir aux besoins du gouvernement et de l'armée. Les idées de Confucius, philosophe du VIe siècle av. J.-C., façonnèrent le mode de vie chinois, pendant plus de 2 000 ans. Elles préconisaient l'ordre et la perfection individuelle.

Selon une tradition légendaire, la Chine était originellement gouvernée par des rois. Leurs vies héroïques et vertueuses ont longtemps servi de référence aux empereurs successifs qui, jusque très récemment, se préocupaient plus d'imiter ces modèles de sagesse que de s'ouvrir au monde par-delà les frontières de l'«Empire du Milieu». – Zong guo – comme le nomment les Chinois.

Ce livre reprend les moments importants de l'histoire de Chine. Il comprend quatre parties: la période qui va depuis les temps historiques les plus reculés jusqu'à l'unification de la Chine en 211 av. J.-C.; les premiers empires; l'âge d'or qui se poursuit jusqu'à la domination mongole; et la dernière ère impériale qui correspond aux dynasties Ming et Qing.

L'homme de Pékin

Parmi les premiers hommes qui peuplèrent la Chine, l'«homme de Pékin» – illustré ci-dessous – est le plus connu. Cette appellation désigne des chasseurs nomades qui vivaient il y a plus de 500 000 ans. Leurs ossements ne furent découverts qu'en 1927. On sait qu'ils se nourrissaient de viande et de poissons et fabriquaient, comme tous les primitifs, des outils en os et en pierre. Plus tard, les premières communautés sédentaires se mirent à cultiver le millet et le riz.

UNE PÉRIODE DE CONFLITS 1400-221 av. J.-C.

Les vestiges de la civilisation chinoise, dont les plus anciens remontent à environ 1500 ans av. J.-C., témoignent de l'opulence dans laquelle vivait la noblesse à cette époque. Les fouilles ont dévoilé, qu'à leur mort, les hommes puissants étaient enterrés avec leurs serviteurs et leurs richesses.

Le pays était alors divisé en de vastes royaumes rivaux, constamment en guerre. Les plus petits États furent peu à peu absorbés par leurs voisins plus puissants, et le pays fut unifié sous l'autorité des rois de Qin au IIIe siècle av. J.-C.

Parmi les réalisations de cette période, il faut signaler l'élaboration d'un système pictographique fort proche de l'écriture actuelle. A partir du VIIe siècle, l'on assista à de grandes réalisations techniques tels le coulage de récipients en bronze et d'outils en fer, l'irrigation et l'observation astronomique.

Les batailles acharnées qui suivirent le renversement des Shang par les Zhou, favorisèrent le développement de la technique du bronze, notamment dans la fabrication d'armes, d'armures et de pièces de chars. Durant cette période désignée par les historiens comme l'ère des «Royaumes Combattants», le peuple était enrôlé dans les armées des États, dont les brillantes stratégies furent souvent relatées.

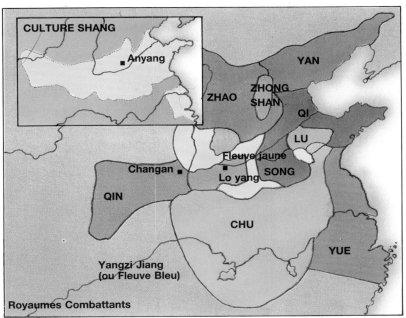

CULTURE SHANG

Anyang

YAN

ZHAO

ZHONG SHAN

QI

LU

Fleuve jaune

Changan   Lo yang   SONG

QIN

CHU

YUE

Yangzi Jiang
(ou Fleuve Bleu)

Royaumes Combattants

CHRONOLOGIE

± 5000-2000 ans av. J.-C.
Période néolithique. Il n'en reste donc aucune trace écrite. Des communautés agricoles se développent. Elles élèvent du bétail et utilisent des pots en terre cuite décorée.

Vers 1500. Pour prédire le futur, les prêtres interprètent les craquelures dans les os d'animaux passés sur le feu. Ils écrivent avec des symboles proches des caractères chinois actuels.

Entre 1500 et 1100. La vallée du Fleuve Jaune au nord-ouest de la Chine, cœur de la civilisation chinoise naissante, connaît la montée des premiers souverains historiques répertoriés: les Shang.

Vers 1400. Les Shang installent leur capitale à Anyang, une ville symétrique aux édifices carrés. Le coulage du bronze devient un art particulièrement raffiné.

1027. Le roi Wu renverse les Shang et fonde la dynastie Zhou.

770. Suite aux invasions des barbares occidentaux, les Zhou déplacent la capitale vers l'est à Lo yang.

700. Le fer est utilisé pour la première fois dans la fabrication d'outils agricoles.

551. Naissance de Confucius, le philosophe chinois le plus influent.

403-221. Époque de rivalités entre royaumes, dite période des «Royaumes Combattants».

IVᵉ et IIIᵉ siècles. L'État Qin, situé à l'ouest, étend son pouvoir en absorbant les États Han, Zhao, Wei, Chu et Yan, et unifie la Chine en 221.

Confucius

Kong Fu Zi (Maître Kong, ou Confucius en latin) était un philosophe itinérant qui prodiguait des conseils aux souverains des royaumes combattants, leur rappelant que les rois légendaires gouvernaient en montrant le bon exemple au peuple. Son enseignement, essentiellement humaniste, fut consigné dans «Les Entretiens». Il eut de nombreux disciples dont Mencius, pour qui la nature humaine était fondamentalement bonne. Il influença les hommes politiques et les intellectuels bien des siècles après sa mort.

Laozi et le taoïsme

A la sagesse confucéenne, basée sur une morale stricte et un ordre social, Laozi oppose une sagesse fondée sur la spontanéité et l'ordre naturel. Ce dernier repose sur l'opposition et la complémentarité entre le Yin et le Yang, les deux forces qui soustendent l'univers. Le Tao, la «voie», c'est vivre en harmonie avec la nature. On y parvient par la contemplation et le «wu wei» (souvent traduit par non-agir; il s'agit plutôt de ne pas agir à l'encontre de la nature). Contrairement à Confucius, Laozi considérait la politique comme une activité futile. Ci-contre, Laozi contemple la nature.

L'écriture

L'écriture chinoise d'aujourd'hui est basée sur les caractères utilisés durant la période Shang. Partant de la représentation d'objets (voir les caractères symbolisant l'eau et le champ), le système a évolué de façon à véhiculer des idées complexes et abstraites. La calligraphie est une forme d'expression artistique fort estimée par les Chinois. La photo ci-contre montre un enfant s'y appliquant selon la manière traditionnelle.

Écriture ancienne						
Ancêtre	Alors (Homme et Bol)	Prière	Terre	Champ	Eau	Pot
Écriture moderne						
祖	就	祝	土	田	水	鼎

Le coulage du bronze

A partir de l'ère Shang, furent coulés de splendides bronzes aux formes variées. Nous ne savons pas encore comment les Chinois développèrent cette technique, acquise il y a plus de 3 000 ans, mais nous savons que ces récipients, ornés de têtes d'animaux et de dessins abstraits, étaient utilisés par la Cour, pour des cérémonies rituelles, par exemple. Le peuple, par contre, ne faisait pas usage du bronze. L'illustration ci-contre montre des artisans à l'œuvre: le métal fondu est coulé dans un moule d'où sortiront des objets pour le culte.

Les funérailles

Les Chinois des premiers temps croyaient qu'après la mort l'âme entrait dans une autre vie. Elle devait séjourner en un lieu de bon augure pour être protégée contre les esprits du mal. Il était également important que les morts soient inhumés avec leurs biens. Les soins qu'on leur portait variaient selon leur rang social. Les riches étaient ensevelis avec de la nourriture, des amphores de vin et des armes. Les nobles étaient enterrés avec leurs serviteurs et leurs chevaux, comme le montre le dessin ci-contre. Une âme insatisfaite était source de malheur pour la famille. Si la tombe d'un roi n'était pas assez belle, le malheur retombait sur tous ses sujets.

La famille

La structure traditionnelle de la famille repose sur l'enseignement de Confucius. Celui-ci met surtout l'accent sur la piété filiale et sur la soummission des femmes aux hommes et des enfants aux personnes âgées.

Le culte des ancêtres

Parce que les Chinois croient que, depuis leur tombe, leurs ancêtres veillent sur eux, ils leur ont toujours fait des offrandes pour que leur âme vive en paix. Dans l'ancien temps, même les foyers les plus modestes avaient un autel, comme le montre l'image ci-contre. De nos jours encore, des familles s'y réunissent à l'occasion du Nouvel An, et se prosternent (ketou) en hommage à leurs défunts. L'empereur étant considéré comme un père par ses sujets, les sacrifices offerts aux défunts royaux étaient particulièrement importants car ils engageaient non seulement la famille mais également tout le pays.

Les jeunes mariées allaient vivre dans la famille de leur époux. Les veuves ne pouvaient pas se remarier et devaient rester chastes. Le père était et est encore considéré aujourd'hui comme le chef de la famille.

LE PREMIER EMPIRE <small>221 av. J.-C. - 618 ap. J.-C.</small>

En dépit des divisions que connut la Chine après la première unification de 221 av. J.-C., l'idée d'une seule nation gouvernée par un empereur, le « fils du ciel », ne fut jamais perdue.

Les Han mirent rapidement fin aux politiques despotiques des Qin et, avec une courte interruption, régnèrent durant près de 400 ans. Ils dépêchèrent des ambassadeurs vers les royaumes barbares situés à l'ouest pour pacifier les régions frontières. Ils édifièrent de commun accord entre philosophes et hommes politiques une structure gouvernementale qui dura des siècles. Le même système de taxation fut imposé au pays tout entier. Les terres opulentes du sud alimentèrent la Cour, qui, en 25 av. J.-C., se déplaça vers l'est, de Changan à Lo yang. La chute des Han fut suivie de 300 ans de divisions et de guerres civiles jusqu'à ce que la dynastie Sui réunifiât le pays. Yangdi, le second empereur de cette dynastie, laissa aux gouvernements futurs une voie d'eau reliant le delta du Yangtze au nord du pays – le Grand Canal.

Estimant que les défunts devaient être protégés autant que les vivants, le premier empereur de Chine, Qin Shihuang, mit en œuvre de grands travaux pour préparer sa tombe. Sa chambre funéraire n'a pas encore été découverte mais d'énormes fosses contenant des milliers de soldats en terre cuite, grandeur nature, ont été ouvertes. Cette armée était destinée à défendre l'empereur contre les forces hostiles de l'au-delà. Le dessin ci-contre représente une des nombreuses antichambres impériales habitée par un bataillon de soldats et de chevaux, tous différents les uns des autres.

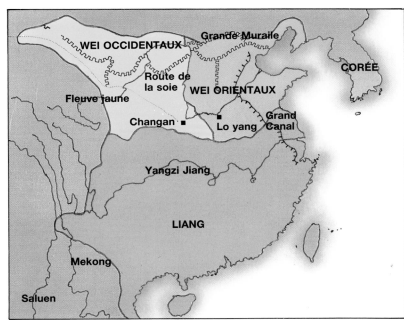

CHRONOLOGIE

221-211 av. J.-C. Les Qin gouvernent la Chine. Ils font construire un réseau de routes et unifient les poids et les mesures.

214. Des fortifications du nord et du nord-ouest de la Chine sont reliées entre elles pour former la Grande Muraille destinée à entraver les invasions des Huns (Xiongnu).

210. Après la mort du premier empereur Qin, des soulèvements secouent le pays.

202. La première dynastie Han est fondée (Han orientaux). Elle revient au type de gouvernement des premiers rois.

138-115. Zhang Qian, un ministre Han, est envoyé vers les territoires de l'ouest pour contenir les envahisseurs Huns.

120-90 av. J.-C. Sima Qian écrit les «Mémoires d'un historien», la première histoire officielle.

25 ap. J.-C. La dynastie Han occidentale est fondée au terme d'une guerre civile.

105. Cai Lun invente le papier.

220. Les Han sont défaits par le puissant général Cao Cao et la Chine éclate en trois royaumes.

375-406. Naissance et mort de Gu Kaizhu, le premier peintre célèbre.

420-581. Le pays est divisé en royaumes rivaux tant au nord qu'au sud.

581. Réunification de la Chine après 300 ans de divisions.

605-610. Construction du Grand Canal.

Qin Shi Huangdi

Le premier unificateur de la Chine, Qin Shi Huangdi (qui signifie «premier empereur des Qin») était un chef impitoyable. Si son règne apporta quelques changements utiles tel que la standardisation de l'écriture, il est surtout célèbre par sa cruauté et son intolérance. Il fit enterrer vivants des intellectuels et brûler des livres anciens comme l'illustre le dessin ci-contre. Il était particulièrement méprisant vis-à-vis des confucianistes qu'il trouvait faibles et irréalistes. Il favorisa le «légisme», une philosophie qui donne au souverain une autorité absolue sur ses sujets. Les lois sont écrites et les actes sont récompensés ou pénalisés selon les cas.

La Grande Muraille

Qin Shi Huangdi nous laissa aussi cette impressionnante construction qu'est la Grande Muraille. Elle servit de rempart contre les envahisseurs Xiongnu qui menaçaient la frontière nord de l'immense pays. Le dessin ci-dessous montre des ouvriers à l'œuvre, transportant et tassant la terre entre les parements de pierre.

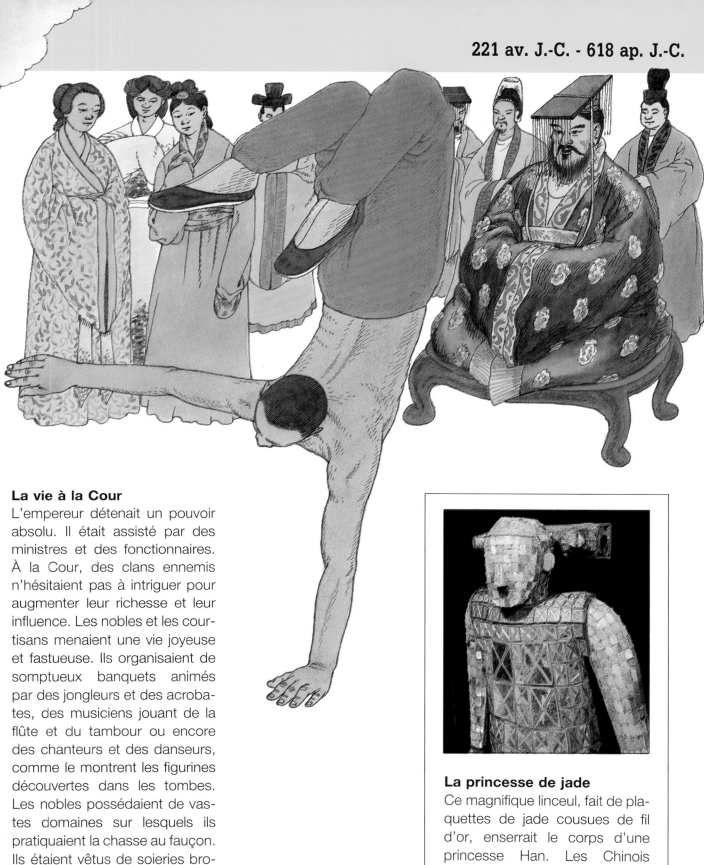

La vie à la Cour

L'empereur détenait un pouvoir absolu. Il était assisté par des ministres et des fonctionnaires. À la Cour, des clans ennemis n'hésitaient pas à intriguer pour augmenter leur richesse et leur influence. Les nobles et les courtisans menaient une vie joyeuse et fastueuse. Ils organisaient de somptueux banquets animés par des jongleurs et des acrobates, des musiciens jouant de la flûte et du tambour ou encore des chanteurs et des danseurs, comme le montrent les figurines découvertes dans les tombes. Les nobles possédaient de vastes domaines sur lesquels ils pratiquaient la chasse au faucon. Ils étaient vêtus de soieries brodées et les femmes portaient des bijoux en or et des pierres précieuses.

La princesse de jade

Ce magnifique linceul, fait de plaquettes de jade cousues de fil d'or, enserrait le corps d'une princesse Han. Les Chinois croyaient que cette pierre verte préservait de la putréfaction. Il témoigne du luxe dans lequel vivaient les aristocrates, luxe qui les suivait jusque dans la mort.

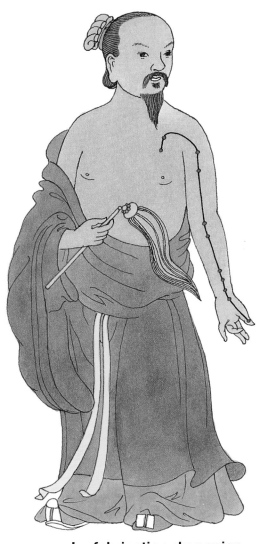

La médecine

D'après des textes vieux de 2 000 ans, les médecins chinois avaient découvert dans le corps des circuits – dits méridiens – qui pouvaient être stimulés par des aiguilles. Depuis, on pratiqua l'acupuncture: la science de la guérison par l'application d'aiguilles. Le dessin ci-contre montre un méridien d'acupuncture dans le bras. Les médecins chinois pensaient que la maladie pouvait provenir d'un manque ou d'un surplus d'énergie dans le corps. Le froid et le chaud sont des facettes du Yin et du Yang, que l'on retrouve dans le taoïsme. Ces deux forces qui animent l'univers s'opposent et se complètent tout comme le féminin et le masculin.

La science et la technologie

La Chine est un foyer de réalisations techniques et de découvertes scientifiques. La Grande Muraille et le Grand Canal qui, comme le montre la photo, est encore utilisé de nos jours, sont de remarquables ouvrages.

Il est intéressant de souligner que déjà sous le régime Han, les Chinois employaient la boussole et la brouette, et qu'au deuxième siècle, ils connaissaient l'abaque (l'ancêtre de la calculatrice). Les astronomes étudiaient les comètes et les éclipses, les ingénieurs construisaient des routes et des ponts – infrastructure indispensable à la Cour pour communiquer avec l'ensemble de l'empire. Ci-contre, un impressionant système d'extraction du sel pratiqué dans les mines de sel du sud-ouest.

La fabrication du papier

Avant l'invention du papier, par Cai Lun, au premier siècle, la soie et le bois servaient de support à l'écriture. Les scènes ci-contre, reprises d'un manuel technique, décrivent le procédé de fabrication du papier, qui, importé de Chine, s'est propagé dans nos régions. L'impression au moyen de blocs en bois a également été élaborée en Chine. Réduisant les coûts par rapport à la calligraphie, elle a rendu les livres plus accessibles au grand public. Le premier livre a été publié en Chine.

Bambou coupé et détrempé

La mixture est cuite

Le moule est plongé dans la pâte

Le papier humide est pressé

Puis séché sur un mur chaud

L'ÂGE D'OR 618-1368

Les périodes Tang et Song marquèrent la culture chinoise d'une empreinte qui perdura jusqu'à la fin de l'époque impériale. Des examens administratifs portant sur les textes confucéens furent organisés pour sélectionner les fonctionnaires impériaux. Les formes littéraires furent fixées : poèmes, ballades et essais. Les peintres produisirent de belles compositions sur soie. Les villes se développèrent en d'agréables quartiers d'habitations, même si la population restait essentiellement paysanne. La religion bouddhique venue d'Inde eut un grand nombre d'adeptes parmi les courtisans et le peuple. Les temples amassèrent de grandes richesses. Mais pour faire face aux dépenses de la Cour, on préleva de nouvelles taxes sur le peuple. Celui-ci se rebella. Aux Xe et XIIIe siècles, le pays fut déchiré par des guerres civiles. Il ne put résister à l'expansion mongole qui submergea le nord de la Chine.

Wen Tianxiang

De nombreuses terres furent dévastées lors du repli de la Cour vers le sud. Les Song n'étaient pas de taille à affronter les cavaliers mongols. Cependant, un soldat courageux, Wen Tianxang, se dressa contre les envahisseurs. Il fut capturé, fait prisonnier et exécuté. On le voit ici refusant de s'incliner devant les Mongols.

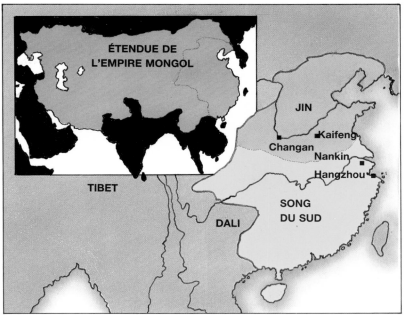

CHRONOLOGIE

618. Le second empereur Sui, Yangdi, est assassiné et une nouvelle dynastie, celle des Tang, est fondée.

621. Un examen administratif est instauré pour sélectionner les fonctionnaires. Cette procédure sera appliquée pendant toute l'ère impériale.

755. Après une période, durant laquelle la culture et l'économie fleurissent à un degré sans précédent, le régime Tang est ébranlé par la révolte de An Lushan.

907-960. La chute du régime Tang est suivie d'une guerre civile.

960. Zhao Kunagyin fonde la dynastie Song et installe sa capitale à Kaifeng sur le Fleuve Jaune.

1138. Une longue période de troubles mène à l'annexion du nord de la Chine par les Djurchet, un peuple de guerriers à cheval. La Cour Song doit fuir vers Hangzou.

1279. Après des années de guerre, le restant des forces Song capitule devant les Mongols sous Koubilai Khan, fondateur de la dynastie Yuan. Les Mongols succombent progressivement à l'influence chinoise et adoptent le mode de vie chinois.

1275-1290. Mis au service de Koubilai Khan, Marco Polo visite la Chine. Ses récits sur les fabuleuses richesses de «Cathay» captivent les Européens.

1368. Le paysan rebelle Zhu Yuanzhang fonde la dynastie Ming et chasse les Mongols hors de Chine. Il établit la nouvelle capitale à Nankin.

La vie citadine

Les villes connaissent un grand essor sous les Tang et surtout sous les Song. Des musiciens et des chanteurs divertissent les foules sur les places. Sur les marchés animés, des colporteurs vendent à la criée et des voyageurs venus de tout le pays achètent des aliments, des tissus et de la poterie de qualité. Changan, capitale de la dynastie Tang, compte un million d'habitants. Elle est bâtie le long d'artères rectilignes sur un axe nord-sud. Le palais, tourné vers le sud, représente le centre symbolique et effectif de la Chine et du monde. La vie luxueuse des courtisans se juxtapose à l'humble existence des aubergistes, charretiers et commerçants. Les artisans produisent soieries et orfèvreries pour les riches consommateurs de l'époque. Les hommes aiment déguster du vin en regardant les évolutions des danseuses.

Le théâtre

Les divertissements prolifèrent dans les villes. Les marchés attirent chanteurs et conteurs d'histoires. Dans les tavernes, les travailleurs et les soldats se réunissent pour se détendre. Les troupes d'opéras se déplacent de ville en ville. Leurs spectacles sont brillants, leurs costumes fastueux et leur musique retentissante. A l'époque Yuan, les jeux scéniques, les costumes et les maquillages sont fort réglementés. La photo de la page précédente montre un maquillage caractéristique, encore pratiqué de nos jours, dont la vivacité des couleurs permet au public d'identifier de loin les personnages de la pièce jouée devant lui.

La vie des femmes

Dans la Chine classique, les femmes vivaient pour servir leurs maris et leur obéir. Elles s'occupaient des enfants et des tâches domestiques. Elles n'apprenaient ni à lire ni à écrire. Les courtisanes étaient confinées dans leurs appartements. Les hommes riches étaient souvent polygames. Pendant l'ère Song, les femmes prirent l'habitude de se bander les pieds pour les empêcher de grandir, ce qui rendait la marche douloureuse. Cette pratique persista jusqu'au début du XXe siècle.

La Justice

Le peuple était terrorisé par les fonctionnaires tout puissants. En effet, un suspect pouvait être cruellement puni sur simple commande d'un magistrat, comme en témoignent nombre d'histoires et d'opéras. Le dessin ci-dessus montre des prisonniers portant la «cangue» (l'équivalent chinois des carcans européens).

Le bouddhisme

Le bouddhisme est une des religions les plus répandues dans le monde. Il débuta en Inde, au VIe siècle av. J.-C., et se propagea en Chine, à partir de l'ouest, au premier siècle ap. J.-C. Il se fit de nombreux adeptes. Les bouddhistes considèrent que la vie est une illusion et que nous mourons et renaissons dans différentes incarnations. L'art bouddhique produisit des peintures superbes et des représentations monumentales du Bouddha taillées à même la falaise, comme celle de Sichuan, au sud-est de la Chine.

Les routes commerciales

Pendant des siècles, des caravanes se sont aventurées sur des pistes dangereuses pour acheminer des soieries fines et

La poésie

L'empereur Song, Huizong, représenté à droite, avec la reproduction d'une de ses toiles en arrière plan, régna de 1101 à 1126. Comme beaucoup de nobles, il composait des poèmes et faisait de la calligraphie. Les périodes Tang et Song ont engendré certains des écrivains chinois les plus célèbres. Leurs poèmes décrivent la beauté de la nature et les souffrances endurées par le peuple, victime de la corruption et de la cupidité de certains dirigeants. Ils sont encore lus et appréciés de nos jours.

d'autres objets précieux, de Chine vers l'Asie centrale et jusqu'au Moyen-Orient proche de l'Europe. Les chameaux étaient les bêtes les plus appropriées pour ces dures traversées de déserts et de régions inhospitalières. Le commerce favorisa également la propagation des idées et des cultures des divers pays traversés. Au XIIe siècle, Marco Polo suivit ces routes pour voyager, au service des Mongols, entre la Chine et l'Italie.

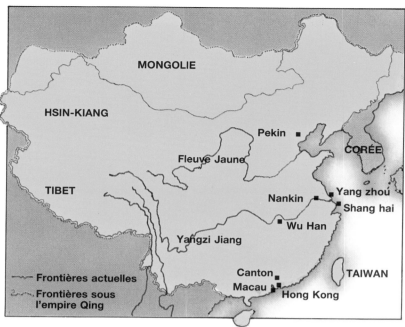

CHRONOLOGIE

1368-1398. Après avoir chassé les Mongols de Chine, le fondateur de la dynastie Ming, Zhu Yuanzhang renforce son contrôle sur l'ensemble du territoire.

1405. Le grand navigateur Zheng He entreprend des voyages d'exploration.

1408. L'empereur Yongle dirige l'édition du Yongle dadian, un dictionnaire en 11 000 volumes.

1421. La capitale est déplacée de Nankin à Pékin. La Cour s'installe dans la Cité Interdite.

1644. Ayant consolidé leur pouvoir pendant des dizaines d'années, les Mandchous occupent Pékin et fondent la dynastie Qing, avec Nurhachi comme premier empereur.

1715-1801. Vie de Cao Xuequin, auteur du roman chinois le plus populaire: «La chambre rouge». Il naquit dans une famille d'aristocrates ruinés.

1755-1759. L'empire Qing s'étend à l'ouest et absorbe la province de Xinjiang.

1839-1842. La Chine subit une grande humiliation lors de la Guerre de l'Opium qui l'oppose aux puissances occidentales. Celles-ci occupent de nombreuses villes côtières.

1850-1873. Révolte de Taiping: le soulèvement de la Chine méridionale contre les occupants mandchous se termine dans un bain de sang.

Début du XXᵉ siècle. Un sentiment de xénophobie se développe dans le nord de la Chine.

1911. La fondation de la République chinoise met fin à la domination mandchoue.

LA SPLENDEUR IMPÉRIALE 1368-1911

La Chine constitua, pendant plus de 150 ans, le flanc oriental du grand empire mongol. Puis le pays des Han fut libéré par une dynastie qui prit le nom de Ming, («brillant» en chinois). La Chine connut alors une période de stabilité. Elle se replia sur elle-même, vivant de ses traditions médicales, guerrières, commerciales et artistiques.

En 1421, l'empereur Yongle déplaça la capitale vers le nord, à Pékin, qui, depuis lors, fut le siège de la plupart des gouvernements. L'aube du XVIIe siècle connut la montée d'un nouveau pouvoir, les Mandchous. Après avoir défait les Ming, les Mandchous abandonnèrent leur vie nomade et adoptèrent les traditions chinoises. Leur dynastie Qing gourverna librement pendant plus de 200 ans, puis dut accepter l'expansion commerciale des puissances occidentales au XIXe siècle.

Parce que fermé au peuple, le palais impérial de Pékin, construit au XVe siècle, fut appelé Cité Interdite. Ci-dessous, l'empereur passe près de ses courtisans, qui ne peuvent le regarder.

L'empereur et le peuple

L'empereur était considéré comme une sorte de dieu, un «fils du ciel», par son peuple, et ce dernier lui vouait une obéissance absolue.

Sa vie était entourée d'un protocole compliqué. Ses déplacements peu nombreux, dont le simple mortel était tenu à l'écart, s'accompagnaient d'une procession d'animaux rares et exo-

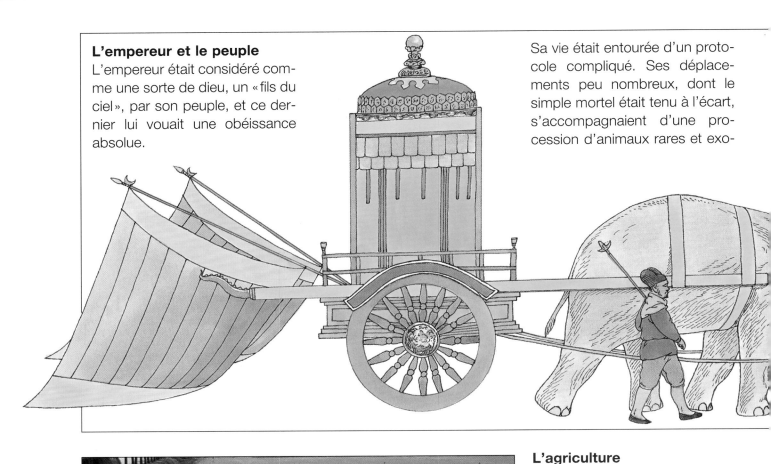

L'agriculture

Pour arriver à nourrir sa famille et payer les impôts élevés nécessaires à la vie de la Cour, le paysan chinois cultivait des céréales. Les techniques ancestrales de culture que l'on peut voir ci-dessous sont peu différentes de celles qu'on utilise aujourd'hui.

tiques. Des palais jalonnaient son parcours même en des endroits qu'il ne visitait que brièvement, car le faste qui l'entourait était un reflet de sa gloire. Il choisissait lui-même ses collabora-teurs et gouvernait sur base d'édits. Ceux-ci étaient procla-més dans tout le pays par les magistrats et les gouverneurs, seuls responsables de la gestion quotidienne.

Les sols plus marécageux du sud se prêtent mieux à la culture du riz, l'alimentation de base des Chinois de ces régions. Dans le nord, le climat froid et sec est plus propice à la culture du blé. C'est pourquoi, les pâtes et le pain sont entrés dans les habitu-des alimentaires des Chinois du Nord.

La porcelaine
Des artisans de différentes ré-gions de Chine produisaient des pots et des bols d'une grande variété de couleurs et de styles. Ils expérimentaient continuellement de nouvelles techniques de cuisson. La porcelaine chinoise fut l'objet d'un commerce international intense jusqu'à ce que la tech-nique soit connue en Europe, au début du XVIIIe siècle. Ci dessous, un artiste à l'œuvre.

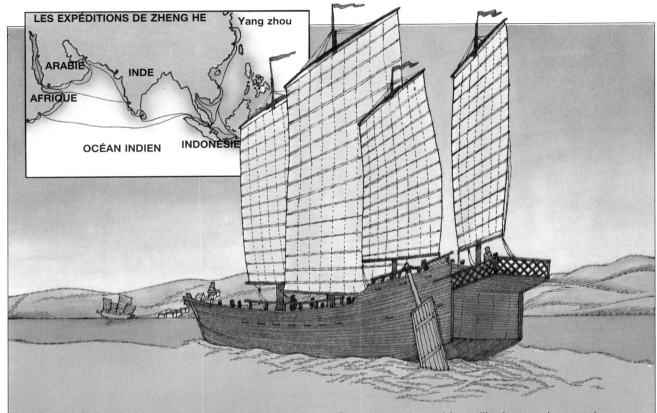

LES EXPÉDITIONS DE ZHENG HE

Yang zhou

ARABIE INDE

AFRIQUE

OCÉAN INDIEN INDONÉSIE

Les explorations

Partant du sud-est de la Chine dans d'énormes bateaux en bois, Zheng He conduisit sept expéditions. Il voyagea dans le sud-est asiatique, en Inde, à Ceylan, vers le golfe Persique et jusqu'à la côte orientale de l'Afrique. Ces voyages d'exploration lui permirent de ramener des trésors et des animaux rares – comme des girafes pour la ménagerie de l'empereur –, que des pays lointains donnaient en tribut au gouvernement chinois. Zheng He utilisait une boussole que des chercheurs chinois avaient faite très précise. De ces voyages périlleux les Chinois retirèrent une mine de renseignements sur les pays lointains et constituèrent pour eux un apport important.

Les Jésuites

La civilisation et la culture chinoises ont longtemps intrigué les autres peuples. Au XVIᵉ siècle, des Jésuites tel le Père Verbiest (venant de Belgique) représenté ci-contre entreprirent de dangereux voyages jusqu'en Chine. Ils espéraient convertir le peuple et ses dirigeants au christianisme. Leur connaissance de l'astronomie et des mathématiques impressionèrent les érudits chinois, mais peu se convertirent.

L'opium

Fumer de l'opium devint une coutume fort répandue au XIXe siècle. Les commerçants chinois échangeaient des soieries, des céramiques et du thé contre de l'opium venu de l'ouest. Révolté à la vue de l'avilissement dans lequel la drogue entraînait ses compatriotes, Lin Zexu, le dirigeant politique représenté ici, fit brûler une cargaison d'opium. Les puissances européennes, prenant curieusement la défense des trafiquants, répondirent à cette mesure salutaire par l'envoi de canonnières provoquant ainsi la « Guerre de l'Opium ». Une action dont l'Europe n'a pas lieu d'être fière.

La Révolte des Boxers

Les dernières années de la l'ère Qin furent secouées par de grands soulèvements sociaux. Le gouvernement ne contrôlait plus qu'une petite partie du pays. En 1900, les « Boxers », des soldats chinois patriotes, affrontèrent les forces britanniques, françaises, russes et japonaises stationnées en Chine. Mais faute d'armements modernes, leur révolte échoua. Comme beaucoup de Chinois de l'époque, ils ne parvenaient pas à comprendre comment leur pays, si fort naguère, put être envahi par des armées étrangères. Peu après la défaite des Boxers, la dynastie Qin tomba, mettant fin à une ère impériale longue de 2 000 ans.

« QUE LE PASSÉ SERVE LE PRÉSENT »

Au milieu du XXᵉ siècle, l'Empire du Milieu gouverné par un roi-dieu devint un État socialiste régi par des dirigeants politiques. Le début du siècle fut marqué par la guerre civile et l'invasion japonaise qui causèrent des millions de victimes. Entre 1911 et 1949, le pays se morcela; les Japonais occupaient de nombreuses villes tandis que des luttes opposaient les nationalistes aux communistes. La famine et les épidémies sévissaient régulièrement. C'est alors qu'un groupe de révolutionnaires, dirigé par Mao Zedong, s'imposa. Mao devint Président de la République Populaire de Chine en 1949. Son slogan « que le passé serve le présent » résume sa doctrine. En d'autres termes, il convient de garder ce qui fait la grandeur de la Chine et de rejeter les traditions dépassées qui entravent sa modernisation.

La Chine d'aujourd'hui

La Chine est la plus grande nation du monde avec plus d'un milliard d'habitants. La plupart d'entre eux vivent dans les campagnes, mais des villes telles que Pékin et Shang haï sont en expansion. L'alimentation, l'habillement et l'éducation d'une telle population sont un véritable casse-tête pour le gouvernement. Aussi encourage-t-il la limitation des naissances à un enfant par couple — comme le montre l'affiche ci-dessous —. Sur l'immense territoire de la Chine, les peuples ont des coutumes et des dialectes différents mais ils sont tous unis par un passé commun et par leur langue écrite.

Mao Zedong

En vainquant les Nationalistes en 1949, après des années de guerre civile, Mao Zedong sortit la Chine de la tumultueuse première moitié du XXᵉ siècle. La Longue Marche, illustrée ci-dessus, permit à l'armée maoïste de rallier les paysans. Mao rendit à la Chine son indépendance. Une fois au pouvoir, par rancune contre les humiliations subies du fait des puissances étrangères, il coupa le pays du monde extérieur. Son but prioritaire était de libérer la paysannerie de la famine et de ses dettes. La Chine ne s'est rouverte au commerce extérieur qu'après sa mort, en 1976. Beaucoup de Chinois eurent une vive admiration pour Mao et sa vision d'une Chine forte, fière de son passé et confiante en son avenir.

Les «chinatowns»

Les communautés chinoises, réparties un peu partout dans le monde, sont connues pour leur ardeur au travail, et pour les animations qu'elles organisent dans les «chinatowns» (les quartiers chinois). La bruyante célébration du Nouvel An, par exemple, attire des milliers de gens, en Chine, comme ailleurs, pour regarder «le lion chasser les mauvais esprits» et porter bonheur. La photo ci-contre, montre la danse du lion dans le quartier chinois de Londres.

Le tourisme

Depuis quelques années, la Chine est sortie de son isolement: les visiteurs y affluent par milliers pour voir des sites tels que la Grande Muraille et les guerriers en terre cuite. Les autorités ont commencé à restaurer des sites et des constructions anciennes pour attirer les touristes et faire entrer des devises dans les caisses de l'État.

INDEX

Origine des photographies
Pages 9, 15, 26 et 31 : Robert Harding ;
pages 11 et 20 : Richard et Sally Greenhill ;
pages 17, 30-31 : Librairie Hutchinson ;
page 30 : Société Anglo-chinoise.